EL ROTO
Contra muros y banderas

R

RESERVOIR GRÁFICA

Primera edición: mayo de 2018

© 2018, Andrés Rábago, representado por Casanovas & Lynch Agencia Literaria S. L.
© 2018, Penguin Random House Grupo Editorial, S. A. U.
Travessera de Gràcia, 47-49. 08021 Barcelona

Printed in Spain – Impreso en España

ISBN: 978-84-17125-82-0
Depósito legal: B-5.780-2018

Compuesto en M. I. Maquetación, S. L.

Impreso en Gráficas 94
Sant Quirze del Vallès (Barcelona)

RK 2 5 8 2 0

Penguin
Random House
Grupo Editorial

FRONTERA: dícese del lugar donde acaba una locura y empieza otra

¡ESPAÑA SE ROMPE! DECÍAN UNOS, ¡SÓLO ES LA SEQUÍA! AFIR-
MABAN OTROS, PERO LAS GRIETAS AVANZABAN...

TODAS LAS BANDERAS SON DE AYER

LOS PALOS ESTÁN MAL VISTOS, PERO SI LES PONES UN TRAPO, SE DIGNIFICAN

SOMOS UN PAÍS PLURINACIONAL, MULTICULTURAL, POLISÉMICO, AUTONÓMICO, DESCENTRALIZADO, REGIONALISTA Y FEDERAL

¿HAY QUIEN DÉ MAS?

LA IDENTIDAD NACIONAL ES UN ALGORITMO POLÍTICO

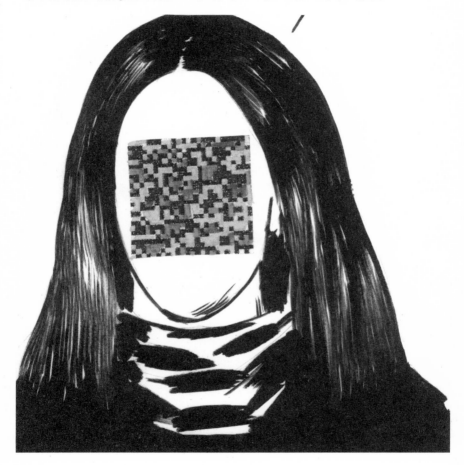

CAMBIABAN LAS BANDERAS DE UN PAÍS A OTRO PARA QUE NO SE NOTASE QUE GOBERNABAN LOS MISMOS...

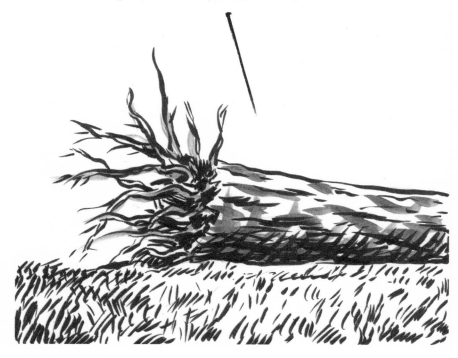

QUISE CONOCER MIS RAÍCES

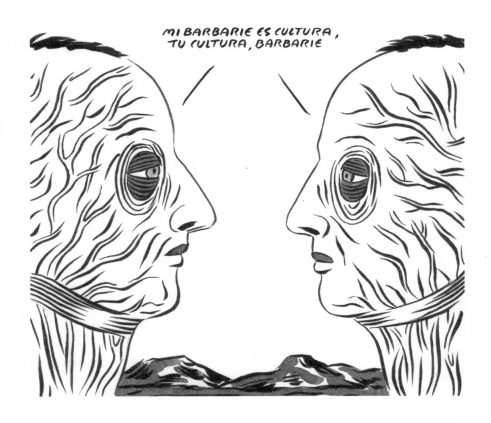

DEMAGOGO SORPRENDIDO CON LAS MANOS EN LAS MASAS

LOS CAUCES SE SECAN Y LAS CALLES SE DESBORDAN...
UN MAL CLIMA

HAY GENTE MUY DEL TERRUÑO...

¡COMO LAS LOMBRICES!

CADA ESTRATO IDEOLÓGICO TIENE SUS HUESOS

EL SOCAVÓN

HISTORIADOR
TU PATRIA TE NECESITA

ABEJA POLINIZADORA

LA FLAUTA MÁGICA

CUANDO CRECEN LAS BANDERAS, MENGUA EL ENTENDIMIENTO

¡TODO SE SECA,,,.... SOLO LOS VIEJOS ODIOS REVERDECEN!

LAS SETAS MÁGICAS

LA ESTRECHEZ DE MIRAS NOS LLEVARÁ A DISPARAR POR UN AGUJERO

DE SOLANA

...Y QUEMABAN CONSTITUCIONES PARA ILUMINAR LA CUEVA...

POR EL BOQUETE DEL DESACUERDO PENETRÓ LA RUINA DE
LA NACIÓN...

UNA BONITA CRUCIFIXIÓN... ¡Y LA VIDA ETERNA!

LA RAMA SE SEPARÓ DEL TRONCO Y PROCLAMÓ SU INDEPENCIA...

CUANDO LAS BANDERAS SALIERON AL BALCÓN, LA CONCORDIA SE
SE RETIRÓ AVERGONZADA.

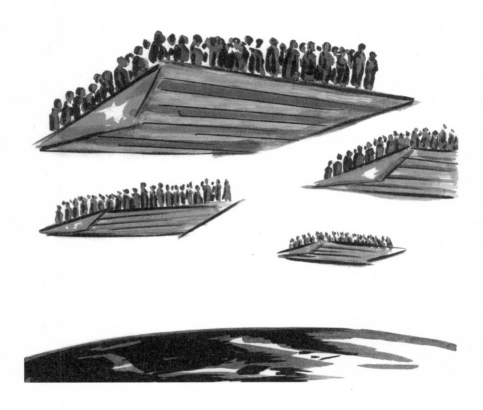

CUANDO EMPIEZAN A HABLAR DE DESCO-
NEXIÓN, HAGO CASO Y DESCONECTO

¡NO SON GRAFITIS, ES SANGRE Y ROPA DESGARRADA!

QUEREMOS RACIÓN PROPIA

¿NO ERA _NACIÓN_ PROPIA?

ESO TAMBIÉN

¡CUANDO NOS HEMOS LIBERADO DEL NACIONAL-CATOLICISMO, NOS VIE-
NEN CON EL NACIONAL-CATALANISMO!

LA ALTURA MORAL DE UNA NACIÓN ES INVERSAMENTE PROPORCIONAL A LA DE SUS VALLAS

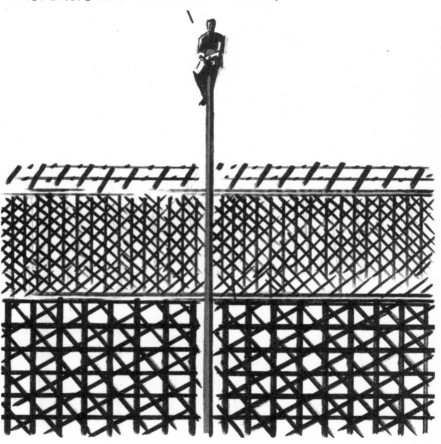

SI CAVAS LO SUFICIENTE, SIEMPRE APARECE ALGUNA PATRIA

LAS PRIMERAS VÍCTIMAS DE LAS INDEPENDENCIAS
SON LAS DISIDENCIAS...

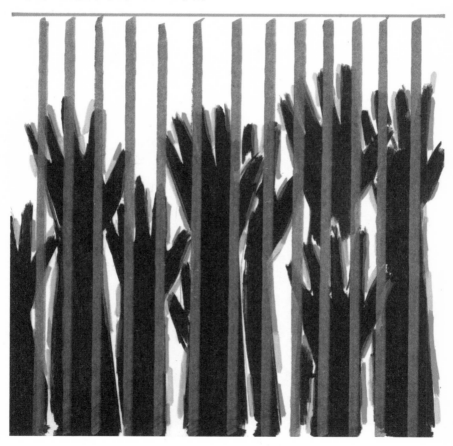

¡ LES RASCAS A LOS PATRIOTAS EN LOS BOLSILLOS
Y RESULTA QUE SON SUIZOS !

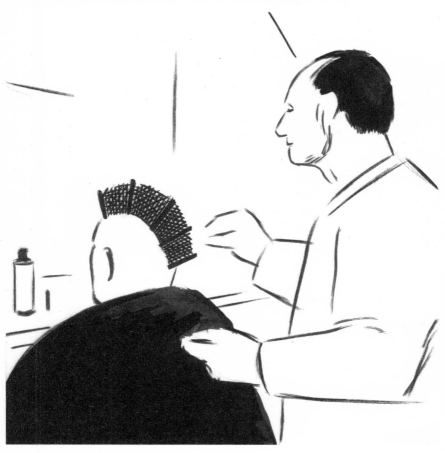

ESTAMOS POR LA INDEPENDENCIA,
NOS GUSTARÍA NO TENER QUE SEGUIR VIVIENDO EN
CASA DE NUESTROS PADRES

ME GUSTAN LAS BANDERAS QUE EN OTOÑO Y PRIMAVERA
CAMBIAN DE COLOR

ARREBATÓ EL HUERTO AL VECINO, ELEVÓ UN MURO Y DEJÓ CRECER LAS ZARZAS...

ERAN ELLOS LOS QUE AGITABAN LAS BANDERAS, PERO DECÍAN QUE ERA EL VIENTO DE LA HISTORIA...

Los discursos eran de alambre de espino

LOS MAYORES YACIMIENTOS ARQUEOLÓGICOS SE DAN
EN LAS IDENTIDADES

NACEN COMO BANDERAS Y
ACABAN COMO MUROS

EL PROVINCIANISMO ES TENDENCIA

EL VIENTO DE LA HISTORIA AVIVÓ LAS LLAMAS...

YO ERA JOVEN E INGENUO Y PERDÍ UNA PIERNA LUCHANDO POR LA PATRIA, PERO ESTOY DECEPCIONADO, ASÍ QUE HE PEDIDO QUE ME DEVUELVAN MI PIERNA Y SE QUEDEN CON LA PATRIA

PERO SE NIEGAN A HACERLO Y ME LLAMAN TRAIDOR

LLÉVAME AL OTRO LADO, ALLÍ FUNDARÉ UN REINO Y TE HARÉ MINISTRO

A MÍ, LA IDEA DE IDENTIDAD O DE NACIÓN
ME PRODUCE CLAUSTROFOBIA

DERRIBARON LOS PUENTES, PERO LOS RÍOS SEGUÍAN FLUYENDO...

VECINOS

CADA UNO DE NOSOTROS TIENE SUS FRONTERAS

¡TANTAS PATRIAS PARA ELEGIR!

¡MENOS PATRIAS Y MÁS DECENCIA!